La mer,
trois kilomètres
à gauche

Auteure : Suzanne Richard
Conception graphique : Hugues-O. Blouin
Éditeur : Jean-Hugues Robert
Révision : Christine Arseneault-Boucher
Collaboration à la révision : Georges Langford
Impression : LithoChic

Distribution :
Les Guides de voyage Ulysse | Téléphone : 1 800 748-9171
www.guidesulysse.com | info@ulysse.ca

Catalogage avant publication
de Bibliothèque et Archives nationales du Québec
et Bibliothèque et Archives Canada

Richard, Suzanne, 1963-
        La mer, trois kilomètres à gauche
        ISBN 978-2-9811958-5-2
        I. Titre.
PS8635.I264M47 2013   C843'.6   C2013-942063-0
PS9635.I264M47 2013

**LES ÉDITIONS
LA MORUE VERTE**

585 chemin Gros-Cap, L'Étang-du-Nord
Îles-de-la-Madeleine (Québec) G4T 3M1
Téléphone : 418 937-8839
www.lamorueverte.ca

SUZANNE RICHARD

La mer,
trois kilomètres
à gauche

NOUVELLES

LA MORUE VERTE

La mer, grande et seule avec une île au milieu,
comme si on avait échappé là un peu de terre,
par distraction.

À mes parents,
et à ceux qui ont de cette terre-là
accrochée à leurs semelles.

Été

- J'ai jamais vu d'étoile filante.
- C'est que t'as pas de rêve.
- Ben voyons.
- Je parle d'un rêve. Un vrai.
- …
- Avoir un vrai rêve, c'est regarder le ciel en espérant qu'il tombe de là.

Olive à Olivier

Amoureux de Claire, et père de son bébé tout neuf, Yvon ne fait pas l'unanimité. Pour des raisons nombreuses et diversifiées, tout l'entourage de la jeune femme espère qu'elle l'appelle son ex. Un soir, à 10 h 33, une sonnerie retentit chez Claire. La voix, au téléphone, annonce sans le savoir, la dernière nouvelle qu'elle aura de lui.

L'année qui suit l'arrestation d'Yvon, Claire vide verres et bouteilles avec application en cherchant dans le fond de ceux-ci, des réponses à des questions telles que *pourquoi ça m'arrive à moi* et *pourquoi j'en fais jamais une qui a de l'allure* et *quand tout ça va-t-il cesser.*

Dans un bar, un soir où la bouteille ne répond pas plus que d'habitude, apparaît dans le fond du verre la tête ronde d'Olivier. Il écoute. Immobile, il n'en perd pas un mot, même les difficiles. Plus les paroles occupent la bouche de Claire, moins elle y met de liquide. Les chaises renversées et le disque terminé, ils partent chacun de leur côté.

Puis, ils s'inventent des rendez-vous au comptoir du café, au coin de table de Claire et, enfin, sur le tapis du salon d'Olivier. Quelques temps plus tard, Claire confie ses bouteilles aux scouts, ses cheveux à son coiffeur et ses espoirs à sa sœur. Peu à peu, trouver des réponses ne devient plus aussi urgent. D'elles-mêmes, les questions s'estompent. Et, un jour, Olivier range ses vêtements dans les tiroirs de Claire, sa vaisselle dans ses armoires et ses restes dans son frigidaire. Le déménagement se complète sous le regard de Claire occupée à raconter un tout petit secret à l'enfant qui rit aux éclats de ces mots soufflés dans le creux de son cou. C'est alors qu'Olivier dépose dans les mains du bambin, un toutou *plegueuil*. Un langage naît entre l'homme, le poisson et l'enfant. Une forme de conversation où les poursuites, les grandes batailles et les fausses peurs glougloutent sur tous les tons. On n'en comprend pas un mot, mais ce gargouillement de fond de mer esquisse un sourire dans le visage de Claire qui, quelques fois, participe de loin avec un léger rire de mouette.

L'enfant n'essaya jamais, avec quiconque, de parler cet étrange langage. (Sauf sur le tapis du salon d'une fille qui avait gardé un toutou. Mais c'est une autre histoire.)

Dès qu'il ne porte plus de couche, le mousse suit Olivier telle une tache. Une tache de couleur, lumineuse et dansante comme en éclabousse les morceaux de verre sur les murs quand il fait soleil. Quand on en voit un, on voit l'autre. Les deux doigts de la main. Le pouce et l'index. Pas vraiment assortis, mais inséparables. Puis le petit réclame qu'on lui rase la tête, comme le grand. Alors, on le nomme : Olive.

Dans l'île, on a coutume de rebaptiser les êtres. Un acte héroïque, ou pire, qu'on aurait préféré taire, un trait physique ou du caractère servent de prétexte à la nouvelle appellation. Comme un espoir maladroit, on nomme aussi d'après les liens que les gens tissent entre eux. Un nom qui fait bon mordre dedans et qui rendra plus fort. Un nom comme un fruit, comme un arbre. Comme Olive à Olivier.

À la bonne étoile

- Il y a des étoiles ?
- Oui.
- Combien ?
- Deux… non, trois.

Un ciel voilé. Une nuit sans vent du mois d'août. Elle est myope. Lui, pas bavard. Ils marchent dans un silence rythmé par une mer apaisée. Par à-coups, elle retient sa respiration. Comme si elle dormait.

Tout à l'heure, *était-ce tout à l'heure ?* Autour d'un feu de bois. C'est lui qui l'a aperçu en premier. *Par hasard.* Un hasard de plus.

- *La nuit est belle…* » Elle avait répondu *oui* et l'avait suivi.

Leurs silhouettes tanguent dans la noirceur. Son bras à elle frôle le sien, oh, presque rien, et instinctivement, elle s'éloigne. Mais d'un geste, il la rattrape, lui entoure la taille. Enlacés, leurs pas désaccordés, sans rencontrer âme qui vive, ils vont devant, d'une fragile cadence, comme si ce chemin était tracé d'avance. Comme s'il était écrit, que ce soir-là, indépendamment de leur vie et de leur volonté, ce soir-là *précisément*, ils marcheraient ensemble, et que le seul fait d'être ainsi côte à côte suffirait à les rendre plus heureux.

Pour traverser quelques rochers arrondis, il lui tend la main et l'amène jusqu'à une petite anse, à l'abri. Elle n'a pas l'habitude de ces manières à l'ancienne.

> – Avoir su que je vous suivrais jusqu'au bout du monde, j'aurais mis mes bottes de sept lieues.

Elle note qu'elle chuchote et qu'elle a dit *vous*. Elle le sait, elle fait toujours ça quand elle est troublée. En baissant un peu la tête, il a souri, pour lui.

Elle retire, avec soulagement, une sandale, lève les yeux. Et là, son visage à lui, tout près, entre elle et le ciel. Ils s'embrassent jusqu'à l'inconfort. Dévorants, se cognant les dents, ils murmurent des excuses et rient tout bas de leur maladresse. Surpris par l'impatience de ce désir, leur étreinte échevelée manque d'aisance et de tendresse. Comme s'il leur fallait en finir. Plus rien n'existe dans la nuit marine que leurs corps amarrés l'un à l'autre. Peu à peu, ils entendent à nouveau la mer soulever des vagues lentes et lourdes. Le visage tourné vers le ciel absent, étendue auprès de ce garçon silencieux, elle souhaite tout bas que sa bonne étoile soit l'une des trois.

En quittant la plage, juste avant le chemin de gravelle, elle distingue entre ses cils ce qui semble être une croix. Elle essaie de ne pas y voir de présage. Accrochée à un support en forme de T : une bouée de sauvetage.

L'été des Tranquille

Juillet 1976. Une voiture chauffe au soleil, les quatre portes ouvertes, bondée de boîtes d'épicerie, de vêtements et d'oreillers. Des enfants rebondissent sur les draps et couvertures empilés sur le siège d'en arrière. Comme tous les ans, les Tranquille vident la maison et déménagent au chalet.

Accrochée sur le bord du Cap, le toit en accent circonflexe, la maison d'été s'ouvre sur une pièce qui tient lieu à la fois de cuisine, de salle à manger, de séjour, de bibliothèque et de salon. Dans la cuisine, un imprimé à fleurs dissimule aux regards le contenu des armoires parmi lesquelles on a coincé la cuisinière au gaz et un frigo aux angles arrondis qui ronronne jour et nuit. À l'heure des repas, la table en triangle ainsi que ses deux banquettes en coin, conçues par le père Tranquille, accueillent les sept petits cordés en ordre de dates de naissance. En face de leur progéniture, les parents partagent le troisième côté du triangle.

La nuit venue, les banquettes servent de lit aux deux plus grandes des filles. Dans l'espace opposé, un fauteuil et un divan avec, au-dessus, une planche de bois qui croule sous des piles de livres et de magazines. Bob Morane côtoie le Larousse, des *Sélection*, des romans d'aventures et des histoires d'amour. Les jours de pluie, le divan – pour les trois qui l'occupent en premier – devient le coin lecture.

L'habitation suffit à peine pour y tenir à sept. Pas de luxe, ici. Le strict nécessaire. D'ailleurs, le jour du déménagement, le débat revient au sujet de la télévision. Les plus vieux, pleins d'espoir, envoient le petit plaider la cause. L'interdiction est enfin levée, la diffusion en direct des Jeux Olympiques de Montréal a eu l'effet escompté. Après les compétitions, inspirées par la gymnaste Nadia Comaneci, les filles revêtues de costumes de bain une pièce improvisent des chorégraphies à la poutre, sur un madrier échoué à la côte. L'une d'elles espère en secret que des barres parallèles viendront du large d'ici la fin de l'été.

Entre les armoires et le fauteuil, une porte coulissante et quelques marches donnent accès à des chambres d'inspiration navale. Construites à même les murs, des couchettes sur deux étages, des tiroirs en dessous. Chaque occupant possède sa propre tablette pour y déposer ses objets personnels : une montre, un verre d'eau ou une dent tombée dans la journée. Mais ils préfèrent de loin le dessous du matelas pour y insérer la gomme, les bonbons et les cigarettes. La chambre du fond est réservée aux parents, avec sa couchette double. Du tissu suspendu dans les cadres de portes permet de se dévêtir à l'abri des regards. Hélas, la nuit venue, il ne suffit pas à isoler des bruits du sommeil : ronflements, *respirs* et extraits de songes. Curieusement, la première nuit suivant le déménagement, ce qui les empêche de dormir par-dessus tout et entre par les fenêtres laissées ouvertes, c'est la mer. Il arrive que l'un des petits recroqueville ses jambes sous la couverture au claquement soudain d'une vague, comme si elle le poursuivait jusque dans ses rêves.

Trois autres chalets du Cap ramènent chaque été les oncles et les tantes, les cousins et les cousines, et même le pépé et la mémé. Juste à côté des Tranquille, la famille Campagne vient un mois d'été sur deux. Les deux familles sont d'inséparables amis. Dans les années soixante-dix, une douzaine et demie d'enfants parcourt le Cap de haut en bas, du matin au soir, le plus souvent pieds nus et en maillot de bain.

Au chalet, les baignades avant le déjeuner et les fraises sauvages, ramassées dans le foin chaud au creux de la butte, font partie du quotidien, comme la cueillette de coquillages et la pêche aux petits crabes. En équipe de deux, les enfants les débusquent enfouis sous les rochers. L'un soulève la roche et l'autre attrape les crustacés cachés en-dessous. Il leur faut saisir la carapace à deux doigts – le pouce et l'index – pour éviter d'être pincé. Certains, à peine plus gros qu'une araignée, courent doucement sur les mains des jeunes pêcheurs et jusque sur leurs avant-bras.

Le soir, les petits regagnent leurs lits en même temps que le coucher du soleil tandis que les grands jouent à la cachette ou à la canisse, sorte de variante de la première où il faut essayer à tout prix de botter un bidon de peinture vide.

— Un, deux, trois pour toute la famille !

Les cris et les rires résonnent et on les entend se déplacer à la course, leurs pas précipités frappant la terre durcie entre les chalets, longtemps après la nuit tombée.

Mais le principal terrain de jeux, pour les Campagne comme pour les Tranquille, c'est la plage. Ils disent : « On va aller nager *à perte fond.* » C'est pour dire jusqu'à perdre pied. Les adultes ont dit et redit de faire bien attention et ils redoutent le courant. Les parents de ces enfants ne savent pas nager et tout ce qu'ils peuvent leur enseigner, c'est la mer.

Les garçons des alentours semblent le tenir de naissance. Les épaules bronzées brillent hors de l'eau une à la fois. Ils nagent un crawl souple, leurs têtes tournent en alternance de droite à gauche, comme s'ils niaient une évidence à l'aide de leurs bras arrondis. Quand ils en ont assez de la mer, ils escaladent la falaise, activité qu'ils pratiquent sans corde ni harnais, les pieds en parallèle avec la paroi, le corps épousant la muraille. Ils suivent un tracé à peu près praticable, sculpté dans le grès avec un bois de grève en guise de piolet. On peut voir la progression de la lignée, sous la surveillance du grimpeur de tête qui de temps en temps *jette un œil* derrière lui afin de s'assurer que tout le monde le suit.

Sur le Cap, rares sont les moments de solitude. Chaque enfant peut toujours en trouver au moins deux ou trois autres pour traîner du côté du magasin général, faire provision de glaces à l'eau et de chips au fromage ou encore, prendre la direction des *cabanes secrètes*, sorte d'éboulis à l'ouest, tout au bout de la plage. C'est là que les Tranquille et les Campagne s'embrassent et fument les premières cigarettes empruntées dans le paquet d'un oncle. Jusqu'à ce que les cabanes s'effondrent et que la mer emporte avec elle tous les secrets, petits et grands.

Alors qu'on ne l'a pas vu venir, la fin de l'été arrive. Les nuages d'août, blancs et *bedous,* poussés par le vent *de nord*, en sont les premiers signes. Les Tranquille vident le chalet, barricadent portes et fenêtres et amarrent tout ce qui pourrait partir au vent. La famille retourne à la maison comme elle en est partie. Quelques voyages d'auto bondée d'enfants, de couvertures, de cartons de nourriture et de vêtements. À une différence, cependant : les visages affichent au retour une tristesse bien visible, par-dessus le teint bronzé.

Ils passent le mois suivant à chercher des possessions égarées et sans doute oubliées au chalet. Quelques années plus tard, ils mettraient plus de temps à savoir pourquoi ces étés se sont ancrés dans leurs souvenirs d'enfance et comment cette impression s'était forgée que le bout du monde était à trois kilomètres, à gauche.

Automne

3 h du matin, on cogne à la porte. Sur la galerie, chavirées par le noroît, les chaises veulent rentrer.

La chasse au bleuet
d'automne

Le bleuet d'automne est plus difficile à surprendre que le bleuet d'été. Cette activité demande de la patience et une meilleure forme physique. Il vous faut parfois marcher plusieurs kilomètres pour arriver à capturer quelques spécimens de cette espèce sauvage.

Chez nous, les bleuets vivent en milieu aride et parfois carrément sur le sable. Comme si la mer façonnait elle-même ces mystérieuses pupilles, qui rappellent les yeux d'un garçon d'autrefois.

Fin août, jour de vent. L'été remet son gilet de laine. Le sel recommence à couler dans les salières. Vous enfilez bas et souliers, la première fois depuis juin. Vous choisissez un *vaisseau* et respirez un grand coup, juste avant d'ouvrir la porte en faisant attention pour qu'elle ne parte pas avec une rafale : vous la poussez juste ce qu'il faut et la retenez en même temps.

Direction les sillons, dans la dune qui va vers l'est. Vous marchez dans la broussaille sans rencontrer un chat et trouvez un bleuet par kilomètre. Des nuages détalent au-dessus de votre tête.

Au hasard de vos pas, de plus en plus lourds, vous découvrez un matelas. Le tissu rayé gris et noir semble encore bon même si autour des boutons apparaît un peu d'usure. Dans un creux de la dune, des morceaux de bois noircis d'un feu de camp refroidi.

Vous enlevez votre gilet, l'étendez sur un coin du lit de fortune et décidez de vous y asseoir. Puis irrésistiblement, l'envie vous prend de vous y allonger. Il y a si longtemps que vous n'avez pas dormi dans le vent.

Un frisson glacé vous réveille. Il est tard, bientôt il fera nuit. Vous entendez des voix. L'une claire, et une autre, plus basse, lui répond. Ils sont loin. Vous ne les avez pas vus, et vous êtes encore à moitié endormi, mais d'instinct vous savez de qui il s'agit. Vous vous redressez d'un bond, enfilez votre manteau, attrapez votre *vaisseau* et décollez à toute vitesse sans demander votre reste. Vous revenez à la maison, bredouille ! Adieu, tartes, muffins, confitures ! Ça vous apprendra ! Aller à la chasse aux bleuets à la saison des amours…

Une nuit dans la vie

Réveillé au beau milieu de la nuit, il se sent reposé comme en plein jour. Minuit douze au cadran témoigne pourtant qu'il a dormi deux heures, seulement. Il s'extirpe de son lit. À la fenêtre, un vent tiède et doux souffle sur son ventre et une étoile lui fait un clin d'œil. C'est tout calme dehors et les voisins remercient des amis d'être venus avant de refermer la porte de leur maison. Dans l'air flotte une odeur de feu de bois. Un ronron de moteur s'éloigne dans le silence. Il gratte le bas de son dos avec le pouce, un geste hérité de son père, qu'il répète depuis l'enfance sans qu'il ne s'en rende compte. Ce réflexe est depuis toujours lié à un instant de profond questionnement. À ce moment précis, dans cette nuit de septembre, il essaie de mettre le doigt sur ce qui a bien pu le réveiller.

Il fixe sa concentration sur le sentiment diffus qui a surgi dès son réveil, comme une sorte d'inquiétude ou de vide. Dans le couloir, un rayon de lune entre par la fenêtre de la lucarne. Il dépose un pied sur le plancher, au milieu du carreau argenté, et prend la direction de la cuisine.

Il coule un grand verre d'eau fraîche. Il avale d'un coup, en faisant du clapotis, mais il n'y prête pas attention : sa pensée vogue ailleurs.

C'est là qu'il sait. Ça ne tient qu'à un fil, mais il croit avoir trouvé ce qui l'a tiré du sommeil et le garde encore éveillé à cette heure tardive. Et plus il y pense, plus cela s'impose comme une évidence. Il attend ce moment depuis longtemps. Il l'a souhaité, et, certains jours, il a imploré le ciel. Et puis, il n'y a plus pensé.

Il retourne se coucher avec un soulagement léger, presque imperceptible au fond de lui, mais il le sait là et n'a pas besoin de plus.

Il avait enfin fini de l'aimer.

Comment j'ai eu le goût d'avoir mon défunt à moi, ou quand ce qui nous manque tient dans de petites choses

Trois heures du matin. Brusquement, ça cogne contre la porte. C'est seulement le vent qui pousse les chaises restées sur la galerie. Je les fais entrer et retourne me coucher en espérant que mon lit soit encore chaud. Et juste en me glissant sous les couvertures tiédies me revient le réflexe que j'ai eu, tantôt, de te réveiller pour que tu ailles voir. Combien de temps encore vais-je sursauter devant ta place vide ?

J'ai d'irrépressibles envies de me gratter le dos. Je ne sais pas pourquoi ? Je suis contorsionniste à mes heures, mais il y a un endroit que je ne parviens pas à atteindre et je crois devenir folle. J'ai développé au fil du temps quelques astuces pour pouvoir faire face en solitaire à ces démangeaisons soudaines : le cadre d'une porte m'est bien utile, mais c'est la règle de bois – trente centimètres – qui soulage le plus. Parfois, je m'ennuie de ta main qui savait trouver l'endroit précis.

La nuit, je ne dors plus. Je suis prête, si jamais ça cogne encore à la porte. Et puis je pense. Je pense à toi et à ta nouvelle. La plupart du temps, je te vois dans ma tête en train de l'embrasser. Ou autre chose. Je n'ai aucun contrôle sur ces pensées. Elles viennent toutes seules. Mais j'ai un truc : maintenant je fabrique mes propres scénarios. Par exemple, j'imagine que tu déplaces une lourde table en bois et qu'elle tombe sur ton petit orteil. J'aime bien aussi celui où tu attrapes une diarrhée ou une démangeaison sans fin, ou les deux. Habituellement après, je réussis à m'endormir.

À part de ça je vais bien. Depuis la rupture, je passe tout mon temps libre au lit. Mon médecin me suggère de réaliser un rêve si je veux sortir de cette léthargie. Occupée à ruminer en plein après-midi, Christian, un ami inquiet, passe me voir. Je suis touchée de sa visite, elles se font rares ces temps-ci. Tout en voulant prendre de mes nouvelles, il m'apprend que son père n'est pas bien. Trois jours plus tard, c'est la fin. Il ne le demande pas, mais je devine qu'il a besoin de moi.

Sa famille, attachée aux traditions, décide de veiller le père à la maison. Dès l'entrée, je suis accueillie par un oncle, assis à la table de la cuisine, les sourcils levés, les jambes croisées l'une sur l'autre avec à chaque bout, des pantoufles de polyester deux tons, faites à la main. Rangés debout au comptoir en *U*, quelques voisins et parents plus ou moins éloignés fument, la hotte du poêle à *maximum*, chaussés eux aussi d'un tricot identique, sûrement l'œuvre d'une même personne. Ces chaussons éclatants de couleurs me ramènent à nous. Tu aurais vu le symbole du confort et de l'accueil des grandes familles de l'île, tandis que moi, l'unique avantage de conserver les planchers propres plus longtemps. Je tente un mouvement vers le bas, pour enlever une botte, mais l'oncle secoue ses mains d'un geste qui veut dire *inutile* et je comprends que je fais partie de la visite. « Christian est là ? »

On m'indique la pièce du fond. Je salue quelques têtes au passage, en me faufilant un chemin vers le salon, le cherchant des yeux. Dans cette pièce étroite, des gens parlent debout ou assis en petits groupes et le mort, le seul parmi eux à se faire le plus discret possible – oui, je sais, j'exagère – capte toute mon attention. J'ai beau faire, mes yeux y reviennent sans que je le veuille vraiment. Il repose pour l'éternité en ce lieu où il a passé une grande partie de sa vie à regarder le hockey, boire de la bière et dormir sur le sofa. Je sais. Tu aurais aimé.

Aussitôt qu'il m'aperçoit, Christian quitte son air grave et sourit tout en venant vers moi. Je l'embrasse sur les joues sans rien dire. Je garde ses mains dans les miennes tandis qu'il raconte les derniers jours. En même temps, j'apprivoise la nouvelle image de son père – que j'ai à peine connu – dans son habit du dimanche, les mains croisées sur son ventre, prêt pour son *dernier voyage*. Un vieux réflexe : je vérifie du coin de l'œil s'il respire.

La sœur de Christian apporte du café. Elle a mis du lait juste ce qu'il faut, sans le demander. Elle repasse avec du sucre à la crème dans une assiette en forme de feuille d'érable. Elle suspend le plat un instant, s'assure du confort de chacun. Et sans en avoir l'air, elle veille sur sa mère, une dame pâle et ridée dans des pantoufles noires. Elle a un doux sourire et on voudrait faire quelque chose pour elle. Comme la prendre dans ses bras.

Je suis partie dans la pluie et le vent mêlés. La rafale pousse la voiture de côté. Je conduis avec précaution, car le côté du chemin donne sur la falaise. En moi surgit une évidence, tout d'un coup : j'envie ces gens. Oh, pas beaucoup, mais un tout petit peu quand même. On vient les voir. Les voisins, les amis partagent leur peine et demandent s'ils peuvent faire quelque chose. Et c'est à ce moment que je prends une décision. Moi aussi j'aurais mon défunt.

Tu serais mon défunt. J'ai même organisé tes funérailles. (*Euh*, la fête, seulement.) Les filles sont venues sans se faire prier, les bras chargés de sacs d'épicerie. Lisa – tu la connais, elle n'en rate pas une – glisse sur un ton anodin : J'ai croisé *ton défunt* à la Coop, il avait l'air en forme ! Habillées de noir – ta couleur préférée et le thème de la soirée – on chante des chansons accordées à la circonstance qui nous réunit, comme *Tu t'en vas* d'Alain Barrière, *Que reste-t-il de nos amours ?* de Charles Trenet et *Salut les amoureux* de Joe Dassin. Le concours est ouvert, c'est à qui va dénicher la chanson la plus pathétique du répertoire. Au beau milieu de ce débordement d'émotions, le téléphone sonne. Lisa, d'une voix nasillarde empruntée à une réceptionniste blasée :

– Enterrement de vie d'avant, bonsoir !... Oui, c'est moi... Salut, ça va ?...

Puis, le silence. Tout le monde avait compris.

– Oui, je te la passe, un instant.
– Elle me tend le récepteur avec un sourire en coin.
– Un appel de l'au-delà.
  C'était toi.

À la bonne étoile (suite)

La Myope a le cœur à la *valdrague*. Le Grand Muet est parti sur l'eau depuis au moins mille ans. Une mission de sauvetage l'appelle auprès d'un cargo tombé en panne au milieu d'une mer d'automne. Dès la réception de l'appel d'urgence, plus rien n'avait compté pour lui que les prévisions météorologiques et l'heure de départ du remorqueur. Son premier voyage à *elle*. Sans nouvelles, la Myope en invente. Mine de rien elle commence à le connaître et, à la manière dont il suspend ses phrases en regardant ses mains comme s'il y avait des mots dedans, force lui est de constater qu'il n'est pas l'homme des grands discours. Et même des courts. Elle se demande quel temps il fait en mer et s'il a froid. Au fil des jours naît l'envie qu'il donne signe de vie. Ce matin, elle rate un appel. Rien dans la boîte vocale. Sûre que c'est lui. Et puis non.

Pour tromper son tracas, elle part. Dans l'île, on va à la côte comme on va aux nouvelles. La mer, éternelle messagère entre les marins et ceux qui les espèrent. Les gens d'ici portent en héritage le rituel de l'attente, les yeux sur l'horizon, guettant le signe d'un retour. En plein vent, enserrée dans son chandail de laine, les bras croisés sur son ventre, elle n'ose pas penser à ce qu'il aurait fait si la mer n'avait pas voulu de lui. La terre le fatiguait. « Fais‑y attention, hein ! Tu me le ramènes. T'es mieux. Je me fie à toi. » Heureusement qu'il n'y a que les goélands pour entendre ça. Mais ils n'écoutent pas, trop occupés à se plaindre.

Quand elle quitte les lieux, la Myope ne remarque pas que la bouée de sauvetage n'est plus à sa place sur le support de bois.

Hiver

« Bouscueils et bousculis, frasil et débarri.
Morceaux d'hiver à la mer. »

Les larmes des dieux

Anita, devant son miroir, insère entre elle et lui une robe dans son enveloppe de plastique transparent. Elle la moule contre son corps revêtu d'un jupon et d'un corsage blanc en imitation de dentelle. Soupir. Son corps nu l'a toujours embarrassé et c'est habillé qu'il l'intimide le moins. Et c'est encore plus vrai aujourd'hui, drapé dans une peau pâle et distendue qui semble trop grande pour lui, surtout depuis qu'elle a maigri. « Sa peau de poulet frais » dit-elle pour elle-même. Plus les années passent, plus les achats sont rares. Elle éprouve de la difficulté à trouver, parmi les tendances à la mode, les vêtements qui sauront à la fois mettre en valeur et dissimuler ce qu'il faut. Et de plus en plus, dissimuler ce qu'il faut suffit.

Malgré tout, son intérêt pour la mode s'émousse à peine. Elle prend encore plaisir à choisir avec soin ce qu'elle va revêtir. « Ce n'est pas parce que l'on est pauvre que l'on doit être mal habillé. » Cette phrase la fait sourire.

Sa mère aussi était toujours bien vêtue. Simplement, mais avec soin. L'achat de la robe remonte déjà à quelques semaines. Étendue sur le lit, elle brille à travers la pellicule de plastique. Une petite folie, cet achat. Elle ne dépense pas autant pour une robe. D'habitude. À de rares moments, elle se laisse guider par l'émotion. Cette fois, elle a eu un véritable coup de foudre.

En enfilant sa robe, de bas en haut, Anita pense à Jeanne, sa soeur, qu'elle verra tout à l'heure. Elle anticipe sa réaction face à ce qu'elle va lui demander. Anita doit pouvoir compter sur elle. Malgré tout elle se sent calme, mais en même temps, elle sait bien que la réaction de Jeanne est importante. Anita doit absolument pouvoir se fier à elle. Et c'est ce qui l'habite en ce moment même où elle se prépare pour aller à l'Âge d'or. Même si au fond d'elle, Anita sait qu'elle n'ira pas, pas aujourd'hui, pas dans un moment pareil où il y a trop à dire, trop à faire et rien en même temps.

Elle ouvre son coffre à bijoux. Une odeur douce s'en échappe : parfum, essence de bois du coffret, savonnette d'hôtel et brin de lavande. Une odeur de vieux. Elle soulève le double fond et y saisit, dessous, à l'aide de deux doigts – on dirait des doigts d'oiseaux – une boîte bleu nuit.

Parmi ses possessions, son collier de perles détonne. Depuis toujours, elle porte des bijoux de pacotille, sauf son alliance et ce petit collier de perles d'eau douce. Pourquoi ? Parce qu'elle les égare, et aussi parce qu'elle préfère avoir beaucoup de bijoux plutôt que quelques-uns. Elle en possède pour toutes les tenues, toutes les occasions. Chaque robe a son collier ou son bracelet assorti et quelques fois les deux. Dans le boîtier bleu reposent deux *pendoreilles* minuscules montés sur un pivot d'argent et un collier à deux rangs. C'est la parure des grandes occasions. Quand Anita met la main à son coffret de velours, il y a une raison.

Les perles, cadeau de son défunt mari, lui avaient paru, à prime abord, comme une folie. Elles ne convenaient pas à sa personnalité vive et enjouée. Elle trouve que la parure lui sied mieux depuis qu'elle a mûri. Elle dit *mûri*, mais pense *vieilli*. À son idée, les perles exigent de la dignité et de la noblesse. Vous ne pouvez pas porter des perles et envoyer tout le monde au diable. À bien y penser, oui, vous le pouvez, mais avec classe.

Son cadran, sur sa table de chevet, indique maintenant qu'il lui reste une heure avant son rendez-vous. Au milieu de sa chambre toute simple, peinte en blanc, trône son lit de jeune fille, qu'elle se plaît à appeler ainsi depuis qu'elle y dort seule. La table supporte, en plus du cadran, une lampe et quelques livres. Elle pense à Jeanne. Encore. C'est drôle comme elle s'inquiète toujours pour elle. Jeanne. Le premier bébé qu'elle a tenu dans ses bras. Elle ressent encore cette responsabilité vis-à-vis d'elle aujourd'hui, alors qu'elles ont respectivement quatre-vingts et soixante-douze ans. Mais aujourd'hui, Anita abdique. Elle ne peut plus la protéger, plus maintenant, et elle répète mentalement son discours parce qu'elle sait la difficulté d'avouer certaines choses à ceux qu'on aime, surtout à ceux qu'on aime car on voudrait les épargner et être compris d'eux à demi-mot, sans avoir à dire.

Anita est prête. Comme chaque jeudi à cette heure-ci. Plantée devant son miroir, parfumée et coiffée, elle adopte une expression détendue, ferme les yeux, juste assez, et observe son image entre ses cils. Elle reste immobile une minute, respirant à peine. C'est parfait. Elle pense à Jérôme qu'elle reverra au Club et avec qui elle a toute une collection de rendez-vous manqués. Soupir. Elle pense à Jeanne, sa sœur et sa meilleure amie, qui sera à l'heure, elle le sait trop bien. D'ailleurs, elle entend son klaxon, sa manière de lui dire : « Je suis là, je t'attends. » Comme beaucoup de gens ponctuels, Jeanne déteste attendre. Mais aujourd'hui, à travers la fenêtre, Anita lui fait signe d'entrer une minute.

— Pas encore prête ? fait Jeanne qui entre et aperçoit Anita dans sa robe. Oh, tu l'as achetée, finalement ? Trop belle ! Mais… tu viens pas à l'Âge d'or habillée d'même !

Puis, un temps. Celui qui précède tous les aveux qui comptent. Anita lève les yeux et ancre son regard dans celui de sa sœur.

— C'est ma robe de morte.

La phrase s'était échappée. Le sourire de Jeanne aussi. Aussitôt, Anita regrette ses paroles. Elle baisse la tête pour éviter le regard de reproche. Puis, après un tout léger moment, elle prend sa petite sœur dans ses bras et la berce. Cet après-midi-là, elles restent à la table de la cuisine à boire du thé fort entre les soupirs et les confidences. Anita a vu son médecin et le verdict est clair, cette fois : plus rien à faire. Jeanne savait sa sœur malade, mais elle s'était habituée à ce cancer qui faisait partie d'elle depuis si longtemps. Elle a oublié qu'un jour il pourrait lui être fatal.

Et puis, quand il n'y a plus rien à dire, Jeanne rajoute en considérant Anita de haut en bas, avec tout son amour de sœur, sur un ton rassurant où se faufile un semblant d'envie :

— En tous cas, tu vas faire une belle morte.

Le compliment tombe dans un silence surpris. Un rire étouffé, celui d'Anita, qui n'en revient pas que sa soeur ose lui dire cela dans un moment pareil. Jeanne pouffe aussitôt. Un grand rire éclate alors entre elles, parfaitement coordonné. Et plus elles essaient de le retenir, moins il montre des signes de fatigue. Un rire qui vient on ne sait d'où, mais qui fait jaillir, au coin de leurs yeux, des larmes claires et rondes.

Le gâteau

Cette année, je cours après mon temps, je travaille trop et mon vieux statut de célibataire me pèse. J'ai tout de même espoir de reprendre un certain équilibre pour réussir à cuisiner le dessert prévu pour les onze ans de Jasmine : des profiteroles. Cela va me faire le plus grand bien. Le clou de sa fête, tout le monde sait ça, c'est le gâteau. Forêt noire, Génoise aux framboises, Bagatelle, Savarin, Saint-Honoré, chaque année qui passe devient le prétexte à l'essai d'une nouvelle recette. Malheureusement, la veille de son anniversaire, je me rends à l'évidence et me tourne vers la Coopérative d'alimentation et son rayon pâtisserie.

La *Coop,* comme on dit dans l'île, vous accueille matin, midi et soir dans un parfum de pain fraîchement cuit. Cette odeur de mie chaude (surtout en hiver) réconforte dès l'entrée. Elle me rappelle les jours pas si lointains où ma mère le faisait chaque lundi. Je passe cette porte, comme si j'entrais chez nous. Le magasin déborde, dès le vaste hall d'entrée – nous on dit *le tambour* – et présente à sa clientèle certaines marchandises ciblées selon les saisons. Au printemps, les tondeuses à gazon y voisinent les barbecues, les tables et les chaises de jardin (qu'on met surtout sur la galerie). Ces meubles, il faut les choisir massifs et lourds, puisque dans l'île, tout part au vent. À l'approche de l'hiver, les tondeuses font place aux souffleuses, disposées sur un tapis de ouate synthétique, avec des sacs de sel en pilots qui attendent les premières chutes de verglas.

À l'intérieur, au hasard des rangées de denrées alimentaires, la Coop offre aussi, selon la saison, une sélection d'objets dont on a grand besoin. Dans des paniers carrés et métalliques sur quatre pattes : les gants de pêche orange fluo aux doigts presque fermés, déjà prêts à saisir le maquereau, les bottes de caoutchouc noir à semelles brunes, les bas de laine, gris et crème, ceux avec une barre rouge dans le haut. Tout dernièrement, des gris, crème et rose pour les femmes. (Je vous jure que j'en ai vu, mais en deux jours ils avaient disparu.)

La Coop a aussi un coin déco-cadeau, des phares de bois et des voiliers assemblés en Chine naviguent dans la section des cartes pour chaque étape de la vie. Les cigognes pour les naissances, et les croix pour les enterrements. Parfois, au beau milieu d'une allée, des clients arrêtent leur panier et parlent à voix basse. Si l'on porte attention en passant tout près d'eux, on entend des noms de maladie entrecoupés de soupirs qui prennent parfois la place des mots.

Et nous y voilà enfin, l'odeur. Il n'y a plus qu'elle au rayon pâtisserie où les croissants dorment entre les bagels et les pains traditionnel, blanc, brun, 7 grains, aux raisins et à la cannelle. Et tout ce pain, vous pouvez même le voir à travers la vitre du four : sa mie gonfle et, quelques minutes plus tard, craque la croûte dorée. Juste devant, la pâtissière sourit. C'est elle qui va me sauver en faisant, cette année, un gâteau. Pour la première fois, je fais appel à elle. Elle me répond :

– Il faut le commander quatre jours d'avance. Mais c'est pas grave, je vais te le faire.

Moi :
– Non, non, non.

Elle :
– Je vais te le faire.

Moi :
– Non, c'est correct, je vais m'arranger. (Mais en moi-même, je me dis que si elle insiste encore, j'accepte).

Elle me dit simplement :

– Tu veux quoi, comme illustration ?

Elle peut faire Winnie l'ourson, Blanche-Neige, Hello Kitty, Fraisinette, Barbie, car aujourd'hui on peut choisir l'image que l'on veut sur le Web, l'imprimer sur du papier à hostie avec du colorant au lieu de l'encre et tout ce qui sort de cette imprimante au beau milieu du comptoir de la pâtisserie est parfaitement et entièrement comestible. Elle me le garantit. Elle me demande du même souffle :

– Son groupe préféré ?
– … One Direction ! Vous avez ça ?
– On va regarder. Comment vous l'écrivez ?

Je me glisse à ses côtés derrière le comptoir et ensemble nous sélectionnons sur *Google* une photo couleur du groupe de l'heure. La photo est sage, les cinq garçons détendus et souriants. Ils manquent de naturel, pose étudiée, bouches pleines de dents droites, vêtements sélectionnés avec soin, la montre de luxe plus large que le bras gracieux.

Le lendemain, après la pizza *pepperoni* fromage, les frites, le punch aux fraises, les crudités, les trempettes, les chips et les *nachos,* j'arrive avec le gâteau. Les onze chandelles pour tout éclairage sont plus que suffisantes pour distinguer les chanteurs de One Direction. Les filles autour de la table, en pâmoison, poussent des cris aigus. Puis, chacune à leur tour :

- Moi je veux… Harry !
- Moi c'est… Niall !
- Et moi… Liam !!!
- Moi c'est Louis !...
- Je peux avoir Zayn ?

Je m'apprête à partager le groupe en morceaux, un garçon pour chacune des filles, quand je m'aperçois qu'elles sont… six. Aurèle, ma nièce, n'a rien dit, et me regarde calmement dans les yeux.

- Oh, Aurèle, c'est lequel, ton préféré ?
- J'en n'ai pas.
- Tu es sûre ?

Immobilité chez les filles, qui retiennent leur souffle.

- Oui. Donne-moi le morceau que tu veux, ma tante.

Ouf. Je respire. Honnêtement, je n'avais *jamais* pensé que le gâteau et la photo susciteraient un tel engouement. Assises devant leurs assiettes, les filles dégustent leur groupe préféré. J'en entends même une déclarer tout haut qu'elle garde la bouche de son idole pour la fin, ce qui fait éclater de rire toute la tablée.

Plus tard, en faisant la vaisselle, je me demande ce que j'aurais fait si deux filles avaient voulu le même garçon. Je me dis finalement que, quand ces choses-là arrivent, on s'arrange toujours. C'est alors que s'amène Aurèle à petits pas d'automate.

— Tic-tac !

Souriante, elle me tend son assiette vide de ses deux mains.

— Tu as bien mangé, ma belle ?
— Oui ! Tic-tac !
— Tu as eu quel garçon, Aurèle ?...

Je m'aperçois trop tard de mon erreur. La fatigue, sûrement. Je m'en veux d'avoir posé cette question à la seule enfant qui n'a pas eu la photo d'un chanteur. Et c'est là qu'elle me dit, tranquille :

— J'ai eu la montre, ma tante.

Dans l'aile A

Un corridor gris pâle. Des portes larges et bleues, numérotées. Ici l'écho rapporte le claquement des portes, le bruit des pas, interrompu parfois d'un *bip* ou d'une sonnerie. Il n'existe pas de loi, personne ne l'a exigé, mais dans l'aile A, tout le monde chuchote ou, du moins, parle bas. Comme si on avait peur de déranger quelqu'un ou la mort qui rôde par ici plus souvent qu'ailleurs.

L'homme tire sur la manche rose de l'infirmière et lui souffle comme s'il s'agissait d'un secret d'État :

- Il y a une femme dans ma chambre !
- Que voulez-vous dire, Monsieur LeBlanc ?
- Il y a une femme dans ma chambre, assise dans mon fauteuil ! fait-il, avec, dans la voix, un début de panique.
- Ne vous inquiétez pas. Venez avec moi.

L'infirmière prend le bras de Monsieur L. comme à son entrée dans l'aile A, sa main refermée sur la sienne, leurs doigts entrecroisés en une sorte de faveur demandée à deux. D'instinct, ce jour-là, elle avait calmé sa détresse et senti qu'il ferait partie des cas particuliers, de ceux à qui elle s'attache. Malgré les années passées dans ce service, elle n'arrivait pas à mettre son cœur à l'abri. Mais on ne parlait pas de *ça* dans l'aile A. Avec Monsieur L. à son bras, ils marchent vers la chambre 9. La garde entrouvre délicatement la porte, glisse un œil dans l'ouverture et constate qu'une femme d'un certain âge, sac à main serré sur son ventre rebondi sous la robe de polyester fleurie, semble attendre quelqu'un ou quelque chose, installée dans l'unique fauteuil.

L'infirmière referme la porte comme elle l'a ouverte, discrètement. Elle se retourne vers Monsieur L., resté derrière dans le corridor.

 – Effectivement. Il y a une femme dans votre chambre.
 – Bon, mais qu'est-ce qu'elle fait là ? Vous allez lui dire de s'en aller… commence-t-il en pleurnichant.
 – Monsieur LeBlanc, je ne peux pas, dit-elle avec toute la douceur du monde.
 – Comment ça, vous ne pouvez pas ? tout en contenant ses larmes. C'est pas vous la boss, ici ?

– Je ne peux pas, Monsieur LeBlanc. C'est votre femme.

– Ma femme ? répète-t-il, soudain songeur.

– Oui, votre femme.

Elle lui laisse le temps d'enregistrer l'information.

– Vous savez, votre maladie, je vous en parle quelques fois, c'est elle qui vous trompe, qui vous joue des petits tours… des tours de mémoire ? C'est elle qui vous fait faire ça.

– Ha… et j'ai d'autres maladies avec ça ? soudain intéressé. Je vais mourir ? Comme si elle connaissait la réponse.

Dans l'aile A, les patients n'ont pas peur des mots de la mort. Ils s'en informent tous les jours.

– Non, non, ne vous inquiétez pas. Pas tout de suite, lui dit-elle avec un bon sourire.

– Vous êtes sûre que… c'est ma femme ? fait-il en indiquant du menton la porte de sa chambre.

– Oui. Sûr et certain.

– Ha… fait-il un brin déçu. Une déception de petit garçon. Elle jurerait qu'il avait cet air-là, il y a trois quarts de siècle au moins.

– Bon, qu'est-ce qu'il y a ?

– Rien. Je pensais que… c'était vous.

L'hiver dans l'île

Sandrine habite dans l'île de ses vacances annuelles. Une île de carte postale où un ciel sans nuage recouvre une mer trop bleue. Sandrine agit sur un coup de tête. Le premier de sa vie. Un geste irréfléchi pas soupesé, ni analysé, ni rien. Une idée irrésistible qu'elle suit. Pour voir. À la fin des vacances, elle retourne juste assez longtemps pour obtenir un congé sans solde et sous-louer l'appartement. Et refaire les valises avec des vêtements chauds. Au retour, le blanc et le gris dominent et donnent au paysage des airs de photo dentelée échappée d'un album ancien.

Sitôt revenue, elle ne sait pas ce qu'elle fait là. Oui, bien sûr qu'elle le sait. Mais, non. Elle marche sur la dune, pour tromper l'ennui et tout ce temps qui s'étend au-devant d'elle. L'eau endormie sous le frasil et le sable dur sous ses pas l'amènent à se demander comment elle a pu, il y a quelques mois à peine, marcher nu-pieds ici, se baigner là.

À la plage, elle ne croise personne. Ici les gens préfèrent imaginer la saison qui vient et garder leurs souvenirs d'été intacts et bien au chaud. Au dépanneur, où elle va aux nouvelles, ils lui racontent les pires tempêtes, celles qui font trembler le lit, précipiter le verglas aux fenêtres et craquer la charpente des maisons. Ils parlent de la neige, celle qui ne fait que passer, poursuivie par le noroît, jusqu'au milieu de la mer. Et le blizzard de février, qui tient deux jours sans s'essouffler, et emporte avec lui les poteaux de la galerie. On dirait qu'ils veulent lui faire peur. Ils croient peut-être qu'elle a oublié de s'en aller.

Au fur et à mesure que l'hiver s'installe, ils s'habituent à la présence de Sandrine et, dans leurs regards, la curiosité laisse la place à quelque chose comme : « on te garde avec nous autres ». Et s'il y en a encore pour trouver que c'est une drôle d'idée d'être restée, personne ne lui a demandé pourquoi.

Puis, un soir de février, la tempête. Celle qu'on lui a annoncée, décrite avec force et détails… et qu'elle a crue, disons, à moitié. De peine et de misère, elle réussit à se rendre à la maison de bois penchée sur la butte, louée pour la saison, qui lui paraît tout à coup bien fragile. Le souffle court, comme si elle avait avalé le vent, Sandrine atteint enfin la porte, qui claque derrière elle.

Aux premières rafales, la maison craque, puis elle finit par trouver un appui et tient tête à cette tempête.

Pendant des heures, le vent vide ce qu'il a sur le cœur. Par moments, il fait mine de perdre son souffle pour reprendre de plus belle. Pendant que dehors le temps rage, le calme se dépose à l'intérieur. Comme si le tumulte de Sandrine renonçait à affronter plus grand et plus fort que lui.

Son premier hiver. Sans François.

Printemps

« Samedi. Je descends à pied au quai, vers la fin de l'après-midi. Les bateaux sont fraîchement à l'eau. Les pêcheurs rient, prennent une bière et font semblant de ne pas voir la fille qui passe. La mer a quasiment sa couleur d'été. »

La tondeuse

Aujourd'hui j'achète ma première tondeuse. Il faut bien que je me rende à l'évidence. Puisqu'elle ne reviendra pas. Mon ancienne. Mon ancienne tondeuse. Et avec elle mon mari qui m'a échangé pour une plus neuve. Je devrais dire nouvelle. Nouvelle femme. (Vous avez saisi ? Vous êtes de petits futés. Moi, ça m'a pris du temps.)

Pendant que je saisis, l'herbe pousse tout autour de la maison et pas seulement de l'herbe, mais aussi du chiendent. Mais ça va avec mon humeur. Humeur de chiendent. Et arrive de la visite. Des mulots aux regards vides et vernis. Mon voisin, à qui je fais la confidence, pointe le foin, là, qui pousse. Par ma faute.

Me voici donc à préparer l'achat de ma première tondeuse. Après un examen minutieux des prospectus reçus dans ma boîte à malle, je téléphone à Hortense, habituellement de bon conseil dans ces situations.

– Écoute, moi non plus je n'ai jamais acheté ça. Tu devrais appeler un gars.

– Mais... donne-moi un conseil général ? Du genre qu'une fille donne à sa meilleure amie quand elle va magasiner ...

– Prends le modèle le moins cher, achète seulement si la couleur te fait bien ET si tu te sens à l'aise dedans !

– Ouais...

– C'est ce que je disais, appelle un gars. Appelle ton ex, tiens.

– Es-tu folle !...

Armée du catalogue de la Quincaillerie du Coin, je constate que les tondeuses viennent en deux modèles : électrique et à gaz. Vu la taille et la complexité du terrain, j'opte pour celle à gaz. (Pardon planète ! Mais je jure de la passer heu... pas souvent.) Courageuse et prête à tout, je prépare mes questions et, surtout, la réponse à « Vous cherchez quoi comme modèle ? » Je la répète tout haut dans la voiture pour avoir l'air naturel.

Dans le premier magasin, le commis, qui visiblement en connaît moins que moi, conseille un modèle en plastique disponible en deux couleurs : orange ou bleu poudre. Ne manque que des autocollants de papillons pour avoir l'impression d'acheter la tondeuse de Barbie. Dans le deuxième magasin, on me livre à moi-même. Personne ne vient voir ce que fabrique une quadragénaire dans le rayon printanier. Et puis, à la troisième quincaillerie, on expose des modèles à l'extérieur. Comme il n'y a personne, j'ose pousser, oh, pousser... juste un peu sur l'une d'elle, un modèle japonais jaune et noir, sorte d'abeille sur roues, en essayant de trouver excitant – soupir – de pratiquer cette activité sous un soleil radieux. Une voix joyeuse dans mon dos interrompt ma rêverie :

– Bonjour ! Je peux vous aider ?
– Oui, je cherche une tondeuse. (Assurance feinte. Je réalise en cet instant même que jamais je ne pensais demander ça dans un magasin).
– Vous voulez quoi comme modèle ?

J'étais prête.

– Vous avez celle qui se passe toute seule pendant que vous vous débouchez une bière ?
– Malheureusement, on n'en a plus, mais je peux vous faire voir nos autres modèles si vous voulez...

Après un tour guidé du coin jardin, je suis la propriétaire d'un modèle léger, rouge vif et à gaz, baptisé Hémoglobine.

Une nouvelle vie commençait.

Les cailloux cardiaques

Mon oncle Léonce ramasse des galets. Il les découvre parmi les natices, les dollars de sable, les coquilles vides de moules, de palourdes et de couteaux de mer. Leur couleur varie entre le gris pâle et le noir. D'autres, plus rares, rappellent le rouge des caps de grès. Tous de taille à peu près semblable, ils ont la forme d'un cœur. Ses *p'tites pépites*, comme il les appelle, reposent sur le cadre de bois de la fenêtre qui donne au sud.

L'homme a su garder, dans les travers de sa vie, un ou deux copains avec qui, une fois par semaine, il se saoule, s'engueule et rigole au pub du chemin du Quai. Mis à part ces samedis arrosés, le peintre vit seul et il y tient. Ce n'est pas dans son minuscule atelier-maison que l'on règle, en buvant du café, les problèmes du monde. Il laisse ça à d'autres. La plupart du temps, il travaille et n'a envie de voir personne. Mais moi, j'ai le droit de venir. À la fenêtre des cailloux, il y a un code. Quand il ne veut pas être dérangé, il ferme les rideaux. Tout le monde sait ça. On dit qu'il peut se fâcher noir, si quelqu'un entre au mauvais moment. Sauf moi. Si la toile de la fenêtre laisse voir les *pépites* à travers la vitre, je suis la bienvenue. (Je ne lui ai pas demandé, ceci n'est peut-être que le hasard, mais maintenant que j'y pense, cette toile n'a jamais voilé la fenêtre jusqu'en bas).

Il ne sait pas d'où vient cette manie de collectionneur. Au retour de ses escapades à la plage, chaque jour de beau temps, il vide ses poches pleines de cailloux.

> – Faut croire que la mer a du cœur, lance-t-il en soupesant ce qu'il ramène au creux de ses grandes mains.

Quand il revient bredouille, il raconte qu'elle a ses journées. Sa phrase flotte dans le silence. Je songe à la mer, à la journée qu'elle a eue.

Léonce n'est pas vraiment mon oncle, mais l'ami d'enfance de mon père et le premier amoureux de la liste officielle de sa sœur, ma tante Éva. C'est comme ça que j'avais commencé à l'appeler mon oncle. Et après la rupture, il a permis que je continue.

Un jour, je lui ai demandé pourquoi il faisait une collection de cœurs.

— Tu sais, ils ne sont pas difficiles à trouver. Suffit de les voir. Moi, je les vois. Je te montrerai si tu veux.

— Tu n'as pas répondu.

— J'ai répondu.

— Mais à une autre question.

Sourire et sujet clos.

Lui et moi on s'entend bien, entre autres parce qu'on sait à quel moment il devient inutile d'insister.

Sa collection me fascine. La plupart des cœurs ont une forme vague. (C'est normal, comme il dirait, ils viennent de la mer). Souvent ils ont une oreillette plus grosse que l'autre. On les dirait dessinés par une main pressée ou timide, d'un geste vif et maladroit.

— D'où viennent-ils ?

À son œil humide, je sais que je l'ai touché.

— Oh ! fait-il sérieux. Tu penses à quoi ? (Notez ici une autre variation dans sa manière de ne pas répondre : poser une autre question).

Je dois avoir 13 ans et un romantisme dont je me crois incurable.

— Des cœurs de marins noyés de chagrin.

— Possible. Mais ça en fait beaucoup, quand même...

Il sourit. Et ça m'encourage.

- Et toi, tu penses à quoi ?
- Moi ? Je crois que la falaise s'érode de plus en plus…
- Et ?...
- … et que la mer sculpte les cailloux comme pour lui dire de tenir le coup.
- Tu m'amènes quand ?
- Quand tu veux.

J'aime Sushi, son camion blanc et rouille, qui date de bien avant ma naissance. Sur le pare-chocs avant, il a vissé une plaque où il est écrit *ski-doo*.

- C'est un ski-doo ou un camion ? Je demande.
- C'est un camion, mais faut pas le dire trop fort, il se prend pour un ski-doo…

Depuis longtemps, les indices de la marque ont disparu. Je soupçonne qu'il les a enlevés par exprès.

Je sens sa bonne humeur, alors je recommence avec mes questions.

- Pourquoi t'as pas refait ta vie, après tante Éva ?
- Refaire ma vie, refaire ma vie… pourquoi ? Je ne l'avais pas défaite.

À la plage, mon attention dévie vers la mer échevelée et le trafic de plumes dans le ciel de l'île. Mon oncle, lui, marche la tête penchée par en avant, le dos voûté. Sans me regarder, il tend dans ma direction un coquillage, un morceau de verre dépoli, et bien évidemment des galets, dont quelques-uns à la forme recherchée. Moi, je ne trouve rien. Sauf, un nuage dodu pour y dormir.

Pendant la majeure partie de mon adolescence, je vais le voir presque à tous les jours. Puis j'échange l'île pour une ville, et n'y reviens que pour le temps des vacances.

Je deviens de la visite pour Léonce. On parle de mes études de biologie qui, on dirait, le passionnent plus que moi. La collection, toujours à la même place sur le bord du châssis. Tout content de me voir, il me fait promettre de revenir. La veille du départ, je passe chez-lui. Il a enfilé une chemise que je ne lui ai jamais vue. Peu de temps après, on frappe à la porte. Il se lève sans surprise. Une grande femme calme me tend la main. Lui, ses yeux sourient. Instinctivement je remarque que la toile laisse voir les cailloux par l'extérieur. Il a gardé le code que je me dis. Léonce a suivi mon regard.

– Veux-tu savoir ce que je faisais des pierres en cœur que je ramassais ?
– Bien sûr, que je veux le savoir. Depuis le temps…

— Je les ai semées.

— Quoi ?

— Ici, partout autour de la maison, de l'atelier. Et, fait-il en clignant de l'œil, Nicole est arrivée.

Quelques années plus tard, Léonce est parti. Pour de bon. Encore jeune, mais je sais qu'il était vieux depuis longtemps. Personne n'a eu besoin de me dire que dans la boîte entourée d'une ficelle avec mon nom écrit dessus, il y avait là tous ses cailloux. Effrités et érodés, à l'image de son cœur, fissuré et plein de trous.

Histoire de piano

Dans l'air fébrile, ma mère essuie la vaisselle du dîner. Toutes les deux minutes elle allonge le cou vers la fenêtre au-dessus de l'évier. Je viens de remarquer qu'elle ne chante pas quand elle se met à crier de sa voix de soprano : « Ils arrivent ! » Nous sommes pourtant toutes seules, elle et moi, dans la cuisine.

Un gros camion recule dans la barrière chez nous, jusqu'à presque toucher les marches de la galerie. Ma mère essuie ses mains dans son linge à vaisselle et ouvre la porte de notre bungalow beige. Puis j'entends des voix que je ne connais pas, sur le ton de l'obstination :

- Ça passera pas.
- Ça passera pas certain !
- Pas l'choix, on va être obligé de défaire la galerie.
- Arrête, arrête…

Ma mère sursaute : « Touchez pas à la galerie, j'appelle mon mari. »

Moi, je reste dehors avec eux. Il y en a un des deux qui brasse les poteaux pour tester leur solidité. Il brasse un peu trop à mon goût. Je lui dis : « Touchez pas à la galerie, papa va vous tuer. » Mon père, jusque-là, n'a jamais tué personne. Ni après non plus, d'ailleurs. On est en 1967. En 1967, dans mon canton, on se menace de mort, comme on respire. On se menace à coups de : « je vais te lever la peau », « je vais t'arracher la tête », et « je vais t'*édgiber* ». *Édgiber* ou *éguiber*, qui veut dire, tout simplement, en parlant du poisson, lui fendre le ventre et l'évider. Tous les peuples s'insultent avec ce qu'ils connaissent. Nous, ce que l'on connaît, c'est le poisson. On l'étête, on l'*édgibe* et on lui lève la peau. Je sais. Vivre près de la mer ne fait pas toujours de nous des romantiques.

Sur le mur, au téléphone noir, ma mère appelle mon père, notre tueur à gages, au garage où il travaille le jour comme mécanicien.

— Allo ?...
— Il s'en vient.

Dix minutes plus tard, mon père est là, d'excellente humeur, et prend la direction des opérations. Il saisit le marteau pour défaire sa galerie, c'est-à-dire enlever quelques poteaux sur le côté des marches. Puis, le piano monte péniblement chaque échelon au rythme du grincement venant du corps des hommes. Sur la galerie, une autre déception nous attend : il ne passe pas la porte. Comme si ça ne lui fait pas un pli, mon père enlève la porte ainsi que son cadre. J'observe ce chantier improvisé, en me demandant jusqu'où les adultes iront pour faire entrer dans notre minuscule bungalow beige qui sent encore le neuf, ce grand bloc noir, lourd et intimidant.

Finalement, après quelques *raizes* inévitables sur les tuiles pur vinyle, le piano prend sa place au salon et les hommes regagnent le camion. Ils vont en livrer d'autres ailleurs. C'est aujourd'hui qu'on vide le couvent des Sœurs.

Je m'approche tout doucement de papa et du haut de mes quatre ans, je lui demande : c'est quoi, un piano ?

Il soulève le couvercle et c'est alors qu'apparaît, à la hauteur de mes yeux, une large bouche de dents toutes égales. Je recule d'un pas, par peur que le monstre ne m'avale, et j'attends avec mon infinie patience d'enfant. C'est alors que mon père, hésitant, dont les mains ne sont pas faites pour la musique mais pour réparer des moteurs et défaire des galeries, se met à jouer à l'aide d'un index pâle cerclé de noir, plus large que les touches :

« Met ta main, ta petite main, ta main dans la mienne,
Dis-moi oui, dis-moi non, dis-moi si tu m'aimes. »

Il y a des jours, parfois, qu'on se rappelle toute une vie.

Promesses d'enfants

À bord de l'autobus scolaire n° 7, assis derrière le volant, Mario Thériault, cinquante ans, adore son métier. Il n'échangerait son siège pour rien au monde. Depuis vingt-cinq ans, il conduit matin, midi et soir des générations de futurs payeurs de taxes. Il essaye d'imaginer qui, dans son véhicule, seront les prochains leaders de l'île, ceux qui se démarqueront et ceux qui reviendront surtout. Car ils partiront tous, un jour ou l'autre. Ça il le sait. Il s'attendrit de les voir tous assis sur les mêmes bancs, les grands à l'arrière, les petits à l'avant.

Tous les matins, à la même heure, il conduit ses passagers vers l'école primaire située au centre de l'île, derrière une butte qui la tient à l'abri du vent *de* nord. En tant qu'ancien élève, il se demande parfois lesquels sont les plus marquants : les apprentissages en classe ou ceux dans la cour ?

Dans son temps, il avalait son dîner à pleine vitesse pour ensuite courir au stop. En attendant l'autobus, ils étaient assez pour jouer au hockey. Des séries qui commençaient sur la terre gelée, tard en automne, jusqu'aux finales dans la boue du printemps. Aujourd'hui, dans son autobus n° 7 qui fait tout le circuit de la Pointe, il ramasse un, parfois deux enfants à la fois et les arrêts s'espacent de plus en plus.

Ce matin, il jette un œil dans son grand rétroviseur et observe ses jeunes voyageurs. Depuis quelques jours, il le sent : ça complote. Le grand Anthony à Hugo fait des messes basses avec la fille à Pierre à Isaac, une beauté toujours de bonne humeur. Ça le chicote. Anthony – du jamais vu – délaisse son banc d'en arrière pour se déplacer vers le banc vis-à-vis de Catherine, oui, c'est ça, Catherine, un nom de reine en plus. Mario se dit qu'il en aura bientôt le cœur net.

Arrivé devant l'école, il stoppe son gros véhicule jaune crayon et attend. Il a un peu d'avance. Il en profite pour virer sa tête vers l'arrière et croise Anthony dans les yeux. Discrètement, il ferme sa main gauche deux fois de suite, lui faisant comprendre qu'il veut lui parler. Ces gestes s'enchaînent avec fluidité et Anthony hoche la tête une fois en avant, signe qu'il a parfaitement compris le message. Tout le monde descend, et Anthony, bon dernier, s'avance vers le chauffeur qui referme la porte coulissante.

Mario admire l'aisance avec laquelle ce garçon va vers les gens. Adultes, enfants plus vieux ou plus jeunes que lui, comme si tout le monde était son égal. Sans gêne, sans détour, sans impolitesse. Vraiment son père.

Anthony prend tout de suite les devants.

– Ouais, ça va Mario ?
– Ouais, ouais, ça va. Et toi, 'Thony ?
– Pas pire... À part de ça ?
– Veux-tu m'dire qu'est-ce que tu manigances avec Catherine ?
– Un mariage. Je voulais justement t'en parler.
– Un mariage ? Sérieux ? Pas toi pis elle ?

Mario sourit. Anthony rougit.

– Non. Ju pis Steph.
– Ah, bon. Ju pis Steph ?
– Oui, ils sortent ensemble depuis le mois de septembre. Paraît que Steph aurait dit à Ju qu'elle aimerait ça de se marier un jour, ça fait que Ju, tu connais Ju, il a répondu « Ok, on se marie. » Là, comme Catherine c'est la meilleure amie de Steph

pis moi de Ju, ben ils nous ont demandé de leur organiser ça.

Mario revoit Justin et Stéphanie assis dans le même banc d'en arrière depuis le début de l'année, les yeux rieurs et pétillants.

- Ah, ben.
- Pis, comment tu trouves ça ?
- Ben, je trouve que c'est une bonne idée… dit-il pas sûr.
- Super ! On a justement besoin d'un chauffeur, ça te dirait ?
- Un chauffeur ?... Vous faites ça en grand !
- Ouais. Pense à ça pis on se donne des nouvelles.

La porte coulisse avec un bruit de phrase interrogative. Anthony met son sac sur son épaule et disparaît tandis que Mario frotte son visage de sa grande main, comme s'il voulait effacer son dernier rêve.

Dans la classe de 4e année...

Comme tous les matins, c'est la période de lecture. Madame Annie profite du calme apparent pour filer en douce quelques minutes. Le projet de mariage fait déjà la une dans la classe de 4e année. Les nouvelles du jour vont vite et circulent à voix basse – les plus futés font semblant de continuer à lire tout en ne perdant pas une miette de ce qui se dit –, d'abord de bouche-à-oreille chez les amis proches, pour finalement rebondir vers le bureau d'Alice qui nourrit une passion pour la nouvelle bien répandue. Elle en fait l'annonce officielle, à voix haute, aussitôt que Madame Annie est engloutie par le corridor. Dans le silence qui règne encore, elle avance, pas achalée, un mélange de moquerie et de défi dans la voix :

– Pis, Steph, dis-moi pas que tu te maries ? Non mais, c'est quoi l'idée…

Stéphanie ne trouve rien à répliquer. Soudain, cette idée qui lui sourit et la met de bonne humeur quand elle y pense, lui apparaît saugrenue dans la bouche d'Alice. Elle se sent ridicule devant tout le monde et remet en cause la promesse de ce bonheur tout simple.

Catherine à Pierre à Isaac ne perd pas de temps et clame haut et fort :

– Moi je trouve que c'est une super de bonne idée. Tu serais pas un tout petit peu jalouse, Alice Cormier ?

Toute la classe éclate de rire. Quand vous êtes seul à ne pas y prendre part, le rire parfaitement synchronisé de vingt-quatre enfants vous cloue le bec. C'était le cas d'Alice.

Mais le mal était fait. L'annonce de la nouvelle avait créé deux groupes opposés autour de l'idée du mariage et un malaise au milieu. Le retour de Madame Annie dans le cadre de la fenêtre de la porte met fin à tout projet de discussion.

À la récréation du matin.

Dans la cour, au pied de la butte abrupte et dénudée sur laquelle s'agrippe quelques sapins, se forme un groupe solidaire autour de Catherine, Anthony, Justin et Stéphanie. De toute évidence la rumeur a déjà couru dans les autres classes.

— Pis qu'est-ce qu'on fait ? demande Catherine.
— On dirait que ça m'tente pu, soupire Stéphanie, dépitée.
— Te laisse pas décourager, Steph, fait Anthony. On suit notre idée. Pis ça va être le fun, on va s'en rappeler toute notre vie, je te le garantis.

Le garçon est convaincant. Il n'en a pas encore pleinement conscience, mais il exerce une forte impression sur les autres.

— Toi Justin, es-tu prêt ?
— Moi, si Steph veut, je le veux.

Stéphanie le regarde dans les yeux et voudrait bien ne pas sourire comme ça, mais c'est plus fort qu'elle. Alors qu'une surveillante vient vers eux, les enfants se dispersent en ne cherchant même pas à dissimuler leurs airs de conspirateurs.

Dans l'après-midi, pendant que la prof a le dos tourné, Catherine entend son nom chuchoté dans son dos. Elle se retourne juste à temps pour recevoir une boule de papier qui arrive tout droit du bureau d'Anthony. Elle déplie la feuille blanche lignée de bleu pour trouver quelques mots au milieu, d'une petite écriture serrée : « Pratique demain. »

À la récré du matin, les élèves s'agglutinent autour de Stéphanie et Justin. Ils sont au moins une vingtaine, peut-être trente. Anthony tente de mettre de l'ordre :

– Steph à ma droite et Ju à ma gauche. Bon, tenez-vous par la main. Les autres, placez-vous derrière, en file.

Aussitôt qu'il réussit un semblant d'ordre, il en arrive d'autres qui viennent voir ce qui se passe, et se placent tout près pour être aux premières loges. Anthony finit par abandonner et se retrouve, avec ses deux futurs mariés, au milieu d'une foule qui les observe.

– Bon on va faire ça vite, parce que la cloche va sonner. Stéphanie à Paul, voudrais-tu Justin Thériault pour mari ? demande Anthony en roulant ses *r* précieusement.

– Oui, je le veux, dit Justin décidé.

– Pas tout de suite, c'est mon tour, fait Stéphanie, accompagnant son éclat de voix d'un coup coude un peu trop appuyé dans les côtes.

– Tu m'as fait mal !

– Bon, fait Anthony, c'est pas une bonne idée de se chicaner devant le prêtre. On reprend ça. Et toi, Justin Thériault, voudrais-tu Stéphanie à Paul pour femme ?

– Oui, je le veux.

– ...

– Bon, qu'est-ce qui se passe, encore ?

– ... la bague, balbutie Stéphanie.

– Quoi la bague ?

– Ben, ça prend une bague...

– Ben, c'est juste une pratique.

– Bon. Oublie ça. Pas de bague. Il se retourne vers Justin. Justin Thériault, vous pouvez embrasser la mariée.

– Es-tu fou ? Une *pareille affaire* de monde !

La foule d'enfants a encore grossi. Et elle attend. C'est alors qu'une voix, venue on ne sait d'où, se met à scander :

– Un bisou ! Un bisou !

Et toute la ribambelle d'enfants répète : « Un bisou ! Un bisou ! » Le trio formé par Anthony, Stéphanie et Justin tente une échappée. Mais la foule impitoyable les encercle et continue de demander au même rythme et de plus en plus fort : « Un bisou ! Un bisou ! »

Une enseignante qui surveille dans la cour ce matin-là se penche vers sa collègue :

– Pauvres enfants. C'n'est pas de leur faute. Ils ont assisté à plus de manif' que de mariages.

Le mardi suivant.

De dos, Anthony, debout au milieu de l'allée, clôt la cérémonie en souhaitant à ses deux amis un *joyeux amour* et de *durer, heu… longtemps.* Après quelques contorsions, Justin sort du fin fond de sa poche une bague. Il l'a fabriquée à l'aide d'un trombone, spécialement pour Stéphanie qui, juste sous son sourire, a noué un voile de fausse dentelle. (Il doit manquer un rideau chez Pierre à Isaac.) Tous les enfants sont là, solennels et attentifs, assis en deux belles rangées. Le tout a duré une trentaine de secondes, une minute tout au plus.

Enserré dans son meilleur et, à vrai dire, unique veston, une casquette empruntée et vissée sur son crâne, un observateur discret surveille la scène. Au moment où les enfants entonnent de leurs voix claires la traditionnelle marche nuptiale à coups de *pom-pom-po-pom*, Mario Thériault, cinquante ans, les yeux dans son grand rétroviseur, démarre l'autobus scolaire n° 7.

À la bonne étoile (suite et fin)

Il fait quasiment nuit. La mer rythme leurs pas. Ils sont de retour à *leur* plage.

La mer chuchote.

La Myope doit avoir réfléchi tout haut parce que le Grand Muet répond.

- J'aime cette vague-là.
- J'imagine. Tu dois aimer ça, toi, les vagues.
- Pas toutes. Il y a des vagues qu'on veut pas entendre.

Elle se réjouit de cette confidence et de marcher côte à côte avec ce grand gaillard, un peu penché, comme s'il voulait s'excuser d'être aussi imposant.

- Je te l'ai pas dit, mais à l'automne, quand t'étais sur l'eau, je suis venue ici. Parler à la mer.
- Est-ce qu'elle t'a répondu ?
- Non.

– Elle me répond pas non plus.
– Tu parles à la mer, toi ?
– Tous les jours.

Il rit.

– Je savais que tu allais te moquer de moi. (Un temps.)
  On a parlé de toi.

Elle n'en dira pas plus. Il n'insiste pas. Il comprend que parler à la mer, c'est comme parler aux étoiles, à la lune, à l'univers. C'est dans le département des demandes et des prières.

– Je me rappelle pas qu'on pouvait apercevoir les lumières de l'île jusqu'ici.

Elle le sait trop bien, que les lumières dansaient sur l'eau. Elle dit ça pour tenter de voir s'il en a gardé l'image, lui aussi.

– Je m'en souviens.
– Il me semble qu'il y avait de la brume, aussi.
– Non, il faisait beau.
– T'es sûr ?
– Sûr.

Les souvenirs. La trace qu'ils laissent au fil du temps. La Myope jubile. Ils ont un souvenir. Pour eux seuls. Pas tout à fait pareil, mais ça ne fait rien. Elle sait qu'il y avait de la brume. On ne voyait pas d'étoiles. À peine deux ou trois.

Mais à bien y penser, il faisait beau. Vraiment beau.

Table

À lire
aux éditions la Morue verte

Le sel et le goémon
Recueil
Auteure : Christine Arseneault-Boucher

Météo insulaire
Atmosphères et regards poétiques des Îles-de-la-Madeleine
Auteure : Myriam Binette
Photographe : Emmanuelle Roberge

Les Emplumés
Drôles d'oiseaux des Îles-de-la-Madeleine
Auteure : Brigitte Le Blanc
Illustratrice : Laurence Lemieux

Le livre gourmand des Îles-de-la-Madeleine - nouvelle édition
Découvertes du terroir et recettes originales
Auteurs : Marie-Christine Rhéaume, Dominique Rhéaume et
Olivier Clément
Photographe : Emmanuelle Roberge

Neuf mois et demi
*Mon séjour auprès des accoucheuses de la
République démocratique du Congo.*
Auteure et photographe : Laurie Morvan-Houle

Ici le Rocher-aux-Oiseaux
*On aura beau éteindre les phares un à un – satellite oblige – ils
raconteront toujours des histoires.*
Auteur : Georges Langford
Illustration : Marianne Papillon

Créé aux Îles-de-la-Madeleine,
imprimé au Québec.